Dha Debi, Mark agus Stephanie:
Mo dheagh theaghlach,
tha mi an dòchas gum bi sibh
an-còmhnaidh gu math. Beannachdan!

–KW

Dha Noah agus Levi,
a thug orm aon uair a bhith tinn,
ach a tha a-nis daonnan gam dhèanamh slàn.

–JC

Leabhraichean Margaret K McElderry
Roinn de Leabhraichean Chloinne
Simon & Schuster
New Iorc

An tionndadh Gàidhlig Norma Nicleòid
Dealbhachadh an leabhair Ghàidhlig Joan MacRae-Smith

LAGE/ISBN 9780861523269 (13) 0861523261 (10)

Clò-bhuailte ann an Sìona
2 4 6 8 10 9 7 5 3 1

Gheibhear clàr catalog CIP airson an leabhair seo ann an Leabharlann Bhreatainn.

Chuidich Comhairle nan Leabhraichean am foillsichear le cosgaisean an leabhair seo.

Tha Acair a' faighinn taic bho Bhòrd na Gàidhlig.

Mathan Mòr Tinn

Karma Wilson

dealbhan le Jane Chapman

SIMON AGUS SCHUSTER
Lunnainn New Iorc Toronto Sydney

Na chrùban leis fhèin
A-staigh anns an toll,
Gun e idir gu math,
Tha mathan mòr donn.

Smùchan na shròin,
Cnatan na cheann,
Chan fhaigh e air cadal –
A' faireachdainn fann.

A spògan cho fuar,
A cheann cho làn,
Mathan mòr donn
A' cur car air an làr.

"Mach leat a chluich,"
Ars a charaid, an geàrr.
"Cha tèid," arsa Mathan,
"Gus am bi mi nas fheàrr."

"Mo chreach," ars an luch,
"Tha ceann Mathan ro bhlàth;
Nì mi fhìn is mo charaidean
Rudeigin dha."

Tha mathan na shìneadh
Ag èigheach 's a' sgrìobadh.

Na laigh' air a dhruim
a' faireachdainn
tinn.

“M’ eudail air Mathan,”
Ars an luchag chòir,
A’ toirt dha pòg
Air uachdar a shròin’.
“Fuiridh sinne còmh’ riut.
Bidh tu ceart gu leòr.”

Dh’obraich iad còmhla, bha Mathan cho tinn.
Chuir am famh clobhd fliuch air uachdar a chinn.
Rinn iad brot a bha math le curran ’s buntàt,
’S tharraing iad plaide tarsainn an làir.

Bha Mathan fhathast
cho tinn ris a' chù,

A dh’aindeoin cho math
’s a bha ’n cupan bùirn.

“Tugainn,” ars an starrag,
“Gu Loch Mòr an Stàrr,
Is gheibh sinn ann lusan
A nì Mathan nas fheàrr.”

Bhruich iad na lusan,
Bha an coire gorm làn,
'S ghabh am mathan
Dìreach làn na spàin'.

Thàinig crith air a' mhathan.
Bha e faireachdainn truagh –
Bha shròn cho stopte,
Bha mhionach cho fuar.

Na caraidean beaga
Le sùim agus gaol
Ga chumail air dòigh –
A' fuireach ri thaobh.

A' bruidhinn cho ìosal
'S air bàrr an òrdagan
A' gabhail tàladh
'S a' fuireach còmhla ris.
Thuit e seachad –
Bha chùis a' còrdadh ris.

Cumaidh iad sùil air
Fad' na h-oidhch',

Gus an dùisg sa mhadainn
Am mathan mòr donn.

Is tha am mathan
tòrr mòr
nas fheàrr!

"Tha mise nas fheàrr,
Chan eil mi cho tinn,
No cho goirt agus truagh –
Agus tapadh leibhs'."

"Tugainn a leum,
Tugainn a sheinn,
Gabhaidh sinn òran
A-muigh air a' bheinn!"

“Cha tèid,” ars an luchag, “Chan urrainn dhuinn.
Ghlac sinn an tinneas
A rinn thusa cho tinn,
Goirteas nar mionaich –
Goirteas nar cinn.”

"Na gabhadh sibhse dragh,"
Arsa Mathan mòr donn,
"Nì mise cinnteach
Nach èirich dad dhuibh."
'S thug e pòg dha gach pluic
Agus pòg dha gach ceann.

“An ùine glè ghoirid
Bidh sibh ceart gu leòr,
’S nì mise dhuibhse
Mar a rinn sibh dhòmhs’.”